J'APPRENDS À DESSINER

Les quatre titres réunis dans cet ouvrage :
Le cirque, Les contes,
Les monstres, Noël,
font partie de la collection
« J'apprends à dessiner »
aux Éditions Fleurus.

PHILIPPE LEGENDRE

J'APPRENDS À DESSINER

un monde magique

EDITIONS FLEURUS

Éditions Fleurus, 15-27 rue Moussorgski, 75018 Paris

Sommaire

Noël 75

Les monstres 53

À l'attention des parents et des enseignants

Tous les enfants savent dessiner un rond, un carré, un triangle…
Alors, ils peuvent aussi dessiner un animal,
un drôle de monstre ou un personnage.
Notre méthode est facile et amusante. Elle apporte à l'enfant une technique
et un vocabulaire des formes dont se sert tout dessinateur.

La construction du dessin se fait par l'association de formes géométriques
créant un ensemble de volumes/surfaces. Il suffit ensuite, par une ligne droite,
courbe ou brisée, de donner son caractère définitif à l'esquisse.

En quelques coups de crayon un motif apparaît,
un peu de couleur et voici réalisée une belle illustration.

Cette méthode propose un apprentissage de la technique
et une première approche de la composition, des proportions, du volume,
de la ligne. Sa simplicité en fait une méthode où le plaisir
de dessiner reste au premier plan.

PHILIPPE LEGENDRE

Peintre-Graveur et illustrateur, Philippe Legendre anime
aussi un atelier de peinture pour les enfants de 6 à 14 ans.
Intervenant souvent en milieu scolaire, il a développé
cette méthode pour que tous les enfants puissent
accéder à l'art du dessin.

Quelques conseils

1. Chaque dessin est fait à partir d'un petit nombre de formes géométriques qui sont indiquées en haut de la page. C'est ce qu'on appelle le vocabulaire de formes. Il peut te servir à t'exercer avant de commencer le dessin.

2. Fais l'esquisse du dessin au crayon et à main levée. Attention, pas de règle ni de compas !

3. Les pointillés indiquent les traits de construction qui doivent être gommés.

4. Une fois ton dessin terminé, colorie-le. Si tu veux, repasse en noir le trait de crayon. Et maintenant, à toi de jouer !

LE CIRQUE

Ses yeux s'allument,

son nez rougit, il a plein de farces…

dans son chapeau trop petit.

L'auguste

Il tourne en rond…

comme au manège.

Mais quand il danse…

ce n'est pas un cheval de bois.

Le cheval de cirque

Il danse,

fait de l'équilibre…

Aussi léger
qu'un papillon.

L'éléphant de parade

VOCABULAIRE DE FORMES

Il n'a pas peur tout seul

dans la cage...

Pourtant les fauves

ne sont pas sages.

16

Le dompteur

Ce sont de gros chats...

qui font des pirouettes...

Mais ils font trembler...

les premiers rangs.

Les fauves

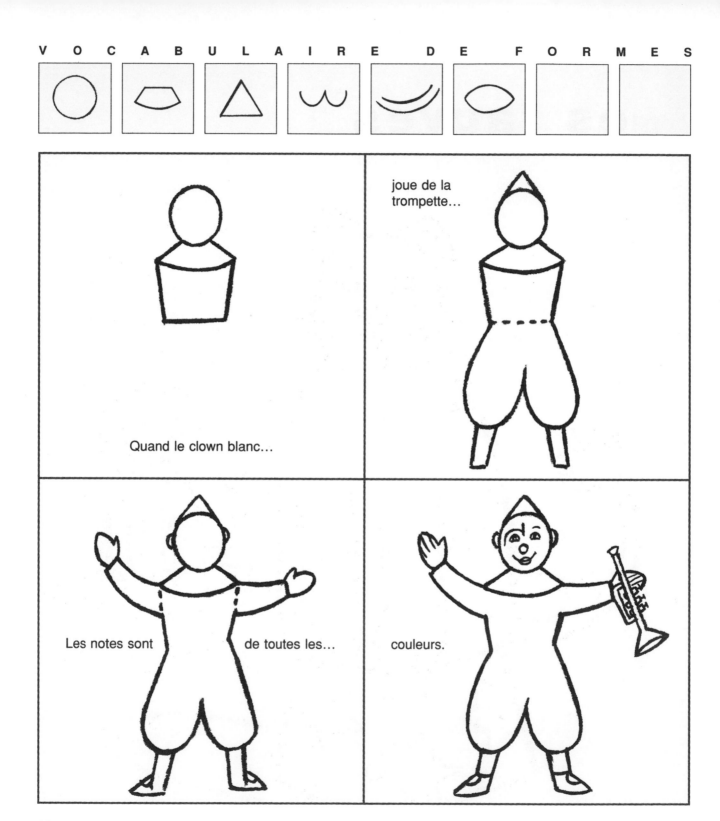

Quand le clown blanc…

joue de la trompette…

Les notes sont   de toutes les…

couleurs.

Le clown blanc

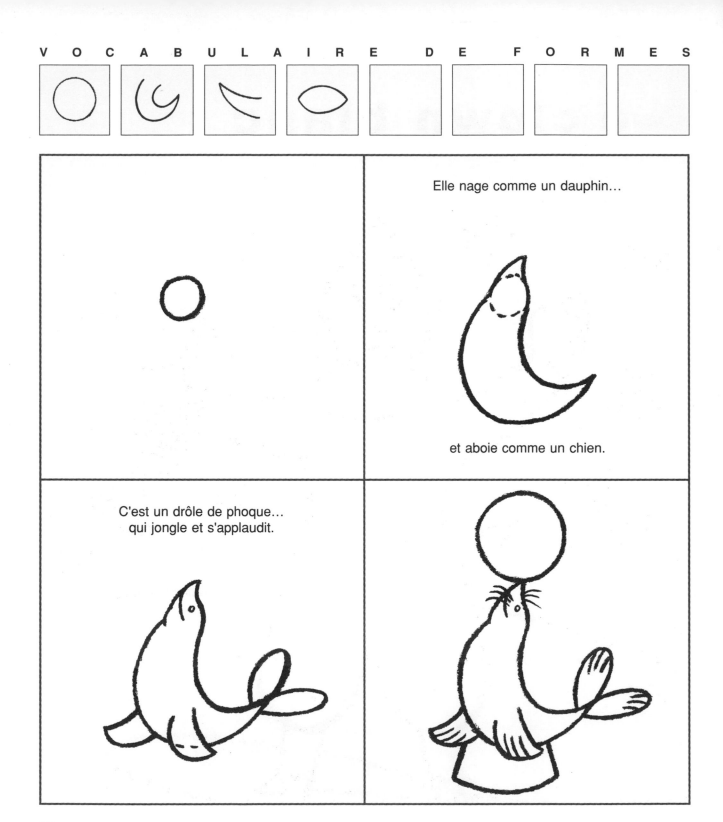

Elle nage comme un dauphin...

et aboie comme un chien.

C'est un drôle de phoque...
qui jongle et s'applaudit.

L'otarie

Dans le ciel du chapiteau...

C'est une étoile...

filante.

La trapéziste

Il jongle avec les rires...

comme avec ses balles.

Le clown jongleur

Voilà l'éléphant qui fait le clown et le clown qui jongle comme une otarie.

Parfois on a peur, car voici les lions et la trapéziste, l'écuyère et la funambule. Tu peux maintenant dessiner la piste du cirque et ses artistes.

LES CONTES

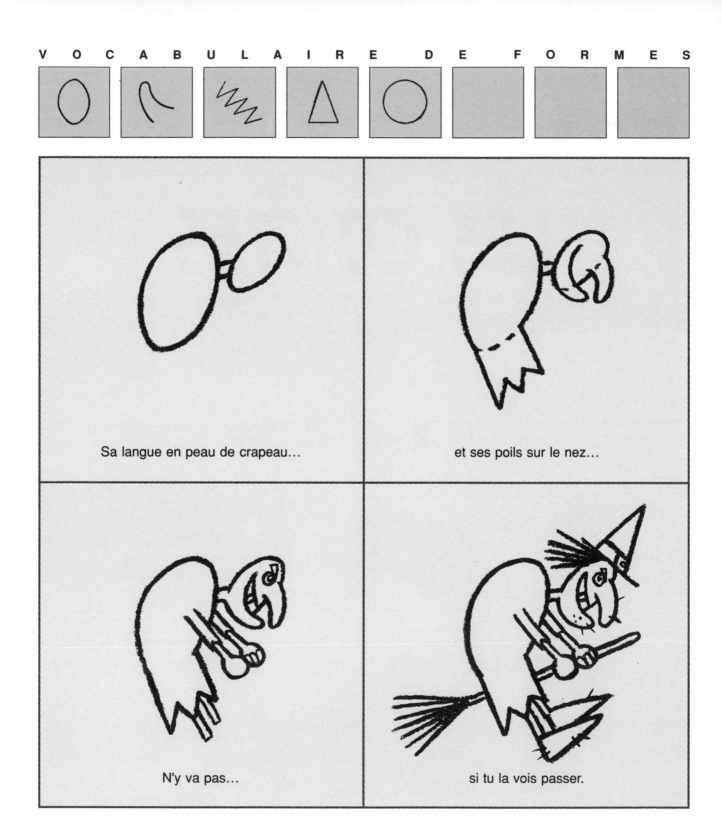

Sa langue en peau de crapeau…

et ses poils sur le nez…

N'y va pas…

si tu la vois passer.

La sorcière

Farceur et malin…

Si tu perds quelque chose…

Ne cherche pas,

c'est le lutin.

Le lutin

Elle est l'amie des princesses et des fées.

C'est un cheval avec une corne

et des cheveux d'or.

La licorne

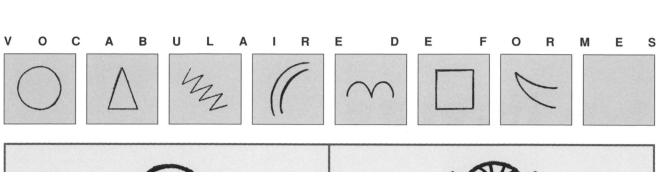

Bête et méchant,

il adore les petits enfants...

coupés en morceaux dans son assiette.

L'ogre

C'est la reine des eaux...

et de
la pêche
au trésor.

La sirène

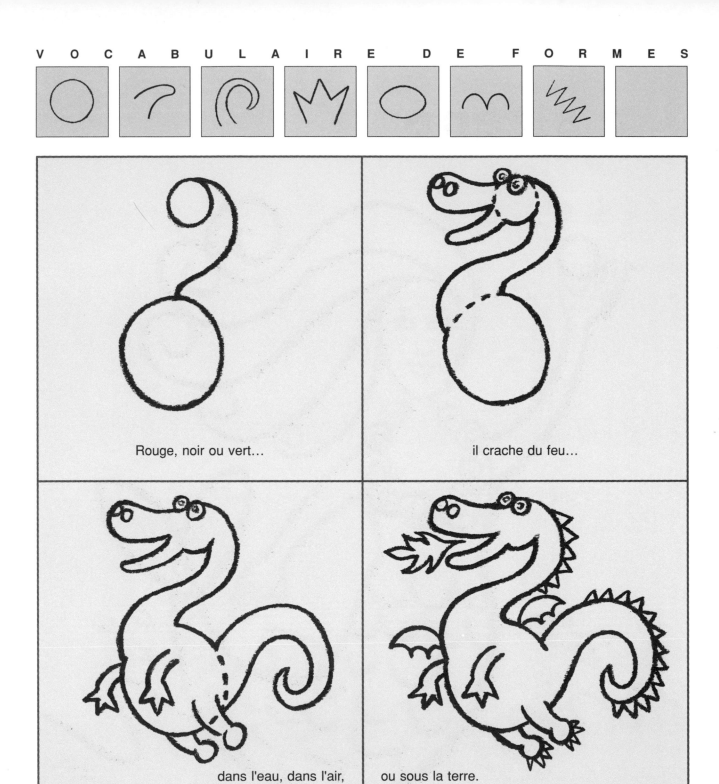

Rouge, noir ou vert…

il crache du feu…

dans l'eau, dans l'air,

ou sous la terre.

Le dragon

D'un coup de baguette magique,

elle transforme une servante en princesse.

C'est la marraine idéale.

La fée

mille formules magiques.

Il a dans son chapeau pointu…

Abracadabra ou turlututu.

Le magicien

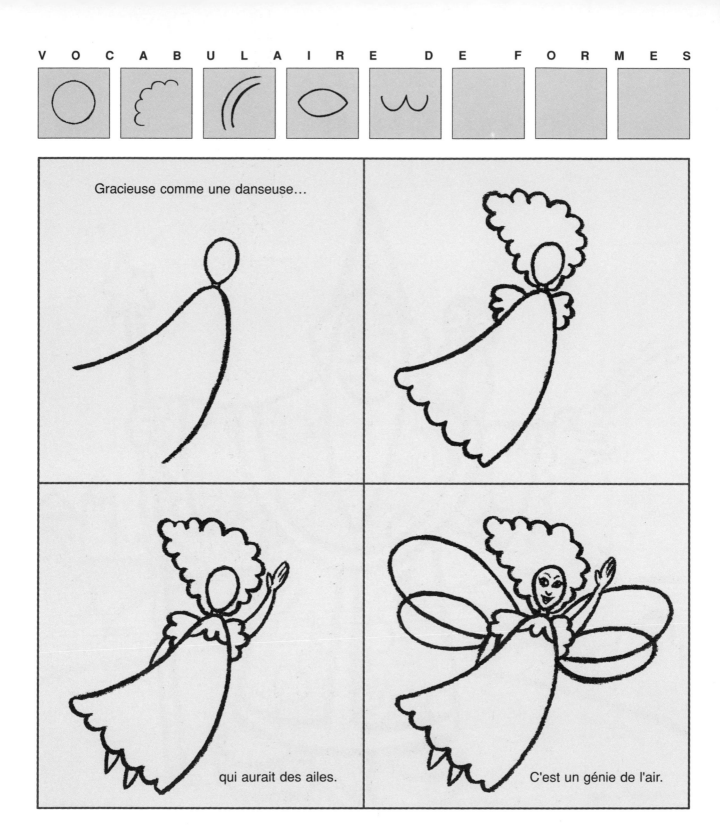

Gracieuse comme une danseuse...

qui aurait des ailes.

C'est un génie de l'air.

48

L'elfe

La sorcière va-t-elle transformer la sirène en grenouille ? Le dragon va-t-il brûler les moustaches de l'ogre qui poursuit le lutin ?

À partir de ces personnages, imagine une histoire et dessine-la.

LES MONSTRES

Quand les citrouilles...

se mettent à marcher,

ferme bien ta porte à clé !

Halloween

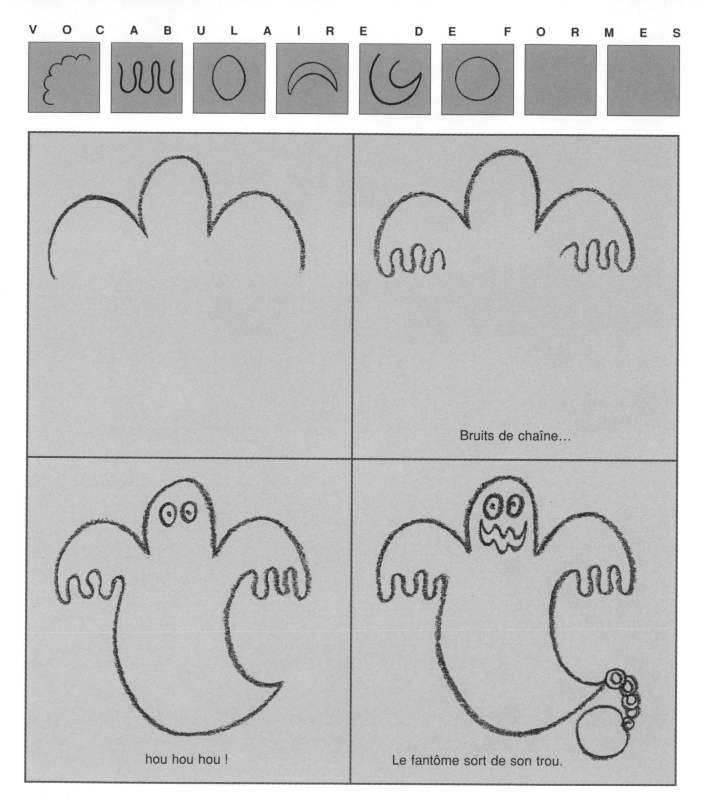

Bruits de chaîne…

hou hou hou !

Le fantôme sort de son trou.

Le fantôme

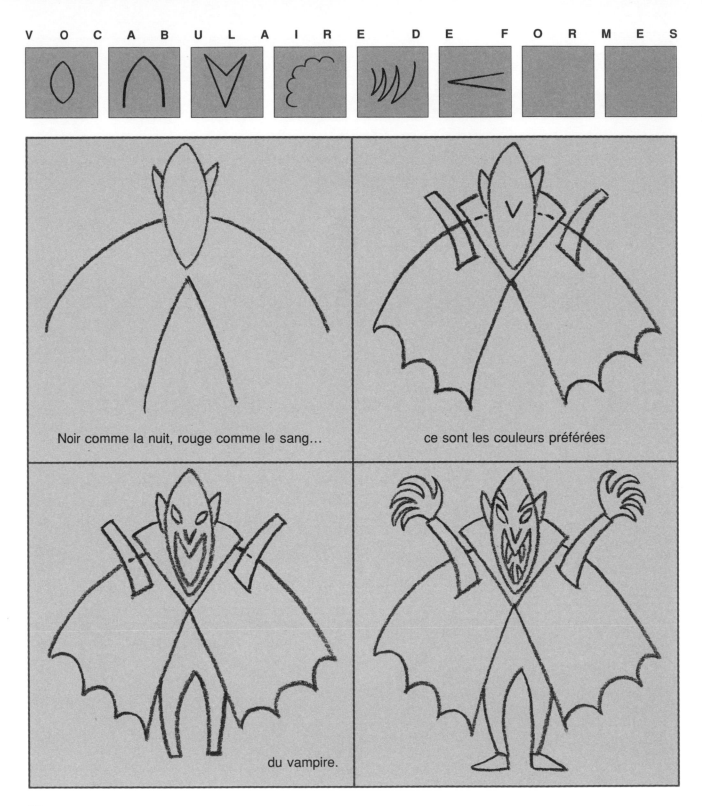

Noir comme la nuit, rouge comme le sang…

ce sont les couleurs préférées

du vampire.

Le vampire

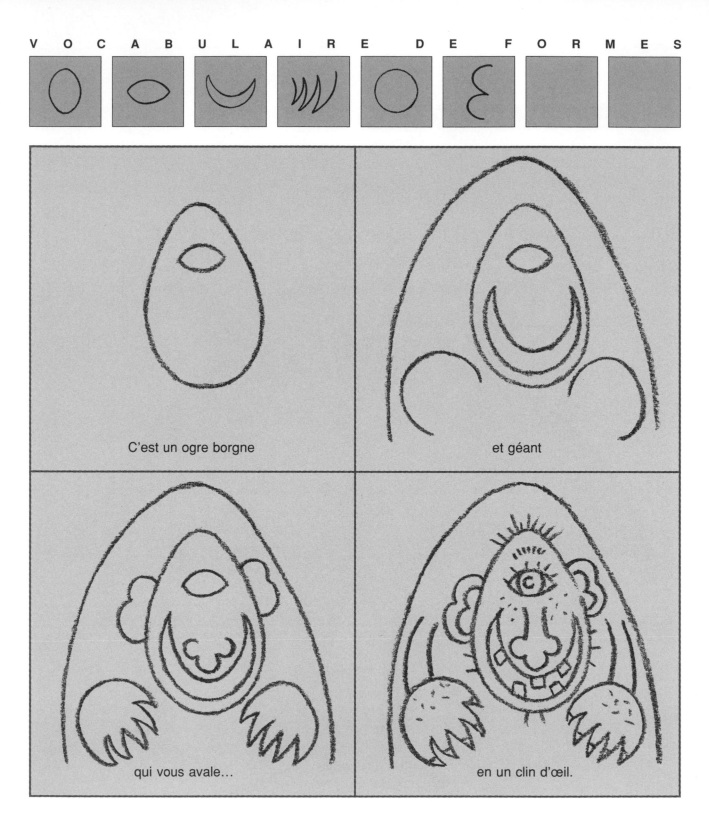

C'est un ogre borgne

et géant

qui vous avale...

en un clin d'œil.

Le cyclope

Quand elle passe,

les cheveux se dressent sur les têtes.

La créature de l'espace

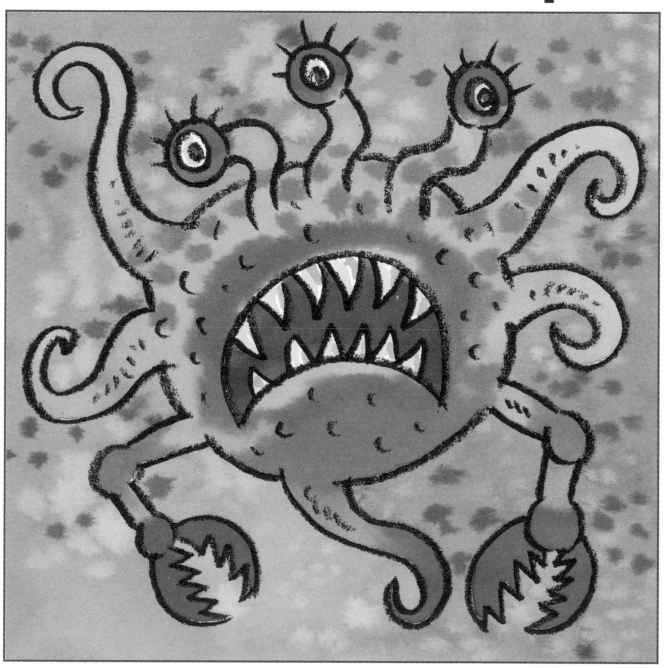

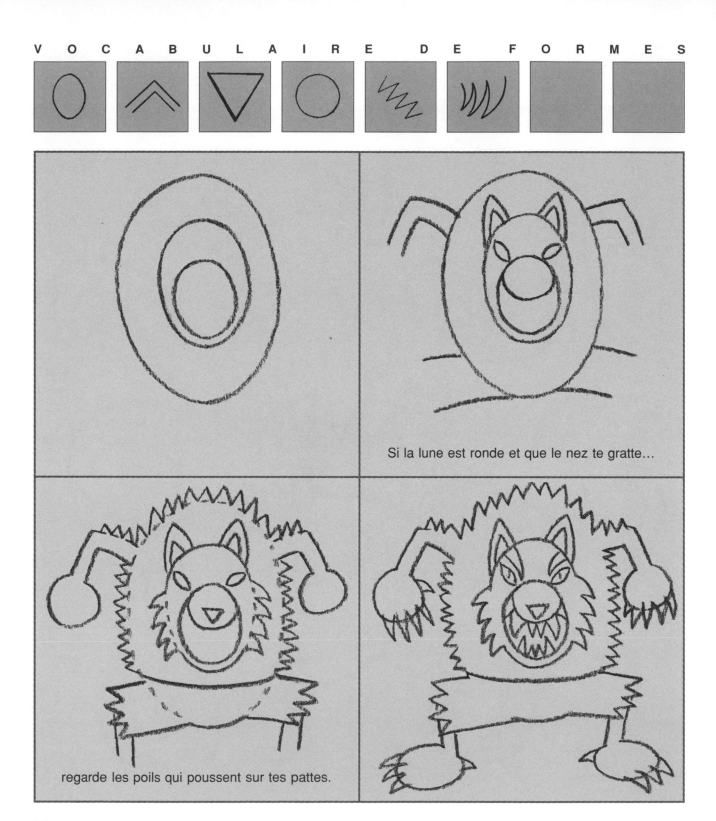

Si la lune est ronde et que le nez te gratte…

regarde les poils qui poussent sur tes pattes.

64

Le loup-garou

Kling-Klong !

Avec ses os,

le squelette joue…

des castagnettes.

Le squelette

Méchant et bête, il rêve de faire sauter la planète.

Le savant fou

Il est rouge et noir

avec des ailes

mais ce n'est pas…

une coccinelle.

Le diablotin

Les monstres se sont donné rendez-vous au manoir hanté.

Imagine et dessine ton histoire, mais attention aux cauchemars !

NOËL

Saint Nicolas frappe à la porte.

Le Père Noël prépare encore sa hotte.

Saint Nicolas

La barbe comme un nuage
et l'œil bleu comme
le ciel,

où donc habite
le Père Noël ?

Le Père Noël

le Père Noël apporte la fête.

Par la cheminée ou par la fenêtre,

Sur les toits

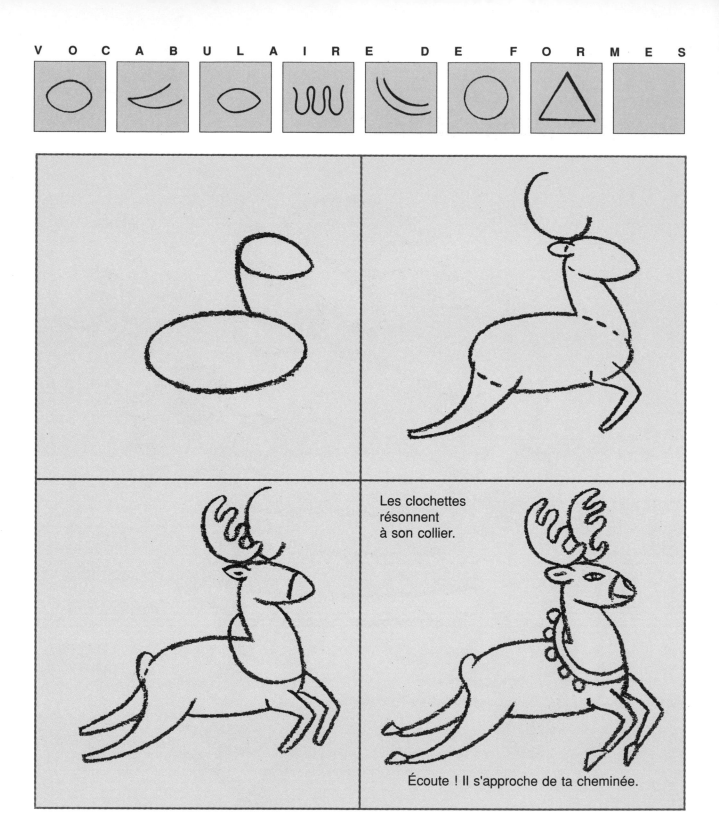

Les clochettes
résonnent
à son collier.

Écoute ! Il s'approche de ta cheminée.

Le renne

Il est léger comme l'air

et contient tous les jouets de la terre.

84

Le traîneau

Jaune, rouge, bleu, vert...

c'est un arbre de lumière.

Le sapin décoré

Pour illuminer la nuit de Noël,

pose des bougies à ta fenêtre.

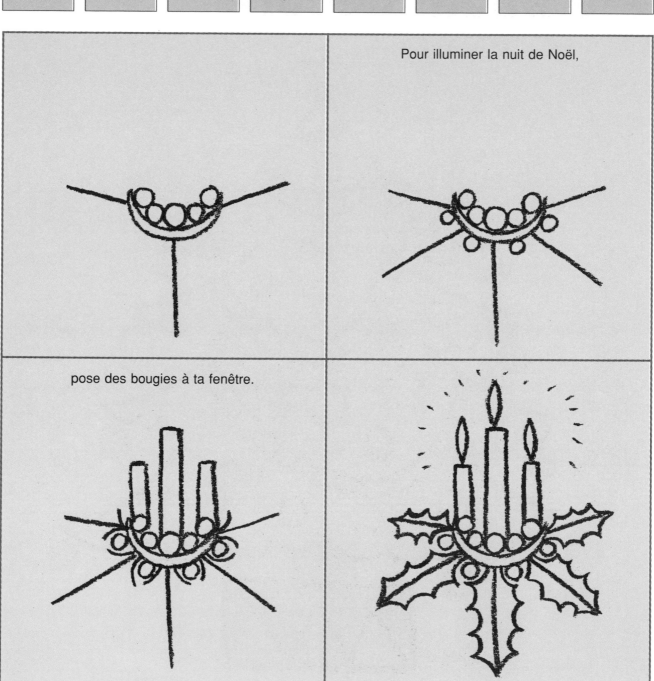

Les bougies de Noël

Accroche
une couronne
à ta porte,

pour souhaiter
Noël à tes
voisins.

La couronne

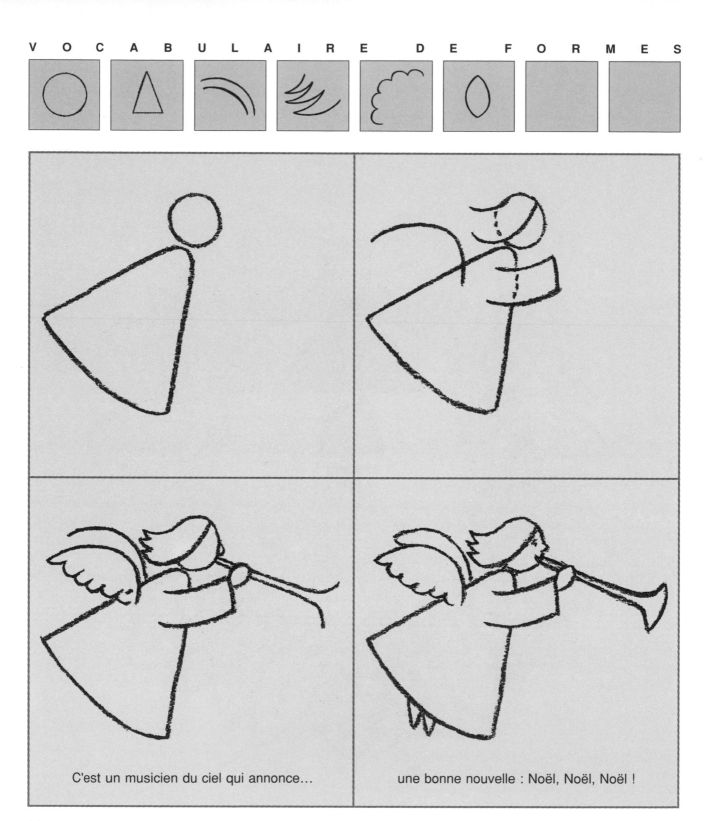

C'est un musicien du ciel qui annonce… une bonne nouvelle : Noël, Noël, Noël !

L'ange de Noël

C'est bientôt la nuit magique, la nuit de Noël !